ADVANCED LEVEL • SCHWIERIGKEITSGRAD: SCHWER

Russian Double Bass Album
Russisches Kontrabass-Album

8 Pieces for Double Bass and Piano
8 Stücke für Kontrabass und Klavier

Glière, Koussevitzky, Schillinger, Tchaikovsky

F 95087

ROB. FORBERG MUSIKVERLAG

© 2019 Rob. Forberg Musikverlag, Berlin (for all countries · für alle Länder)

All Rights Reserved · Alle Rechte vorbehalten

F 95087
ISMN 979-0-2061-0621-7

INDEX · INHALT

À Monsieur S. Koussevitzky

Tarantella

Reinhold Moritzevič Glière (1875-1956)
op. 9/2

Meno mosso.

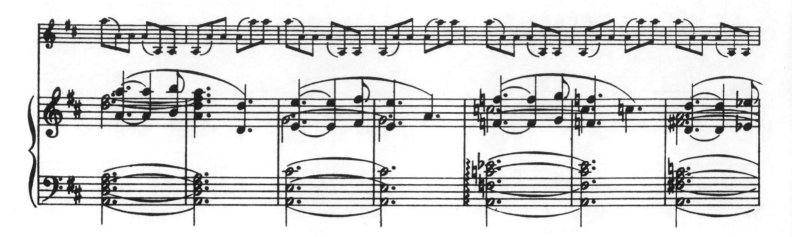

Tempo I.

Tempo I.

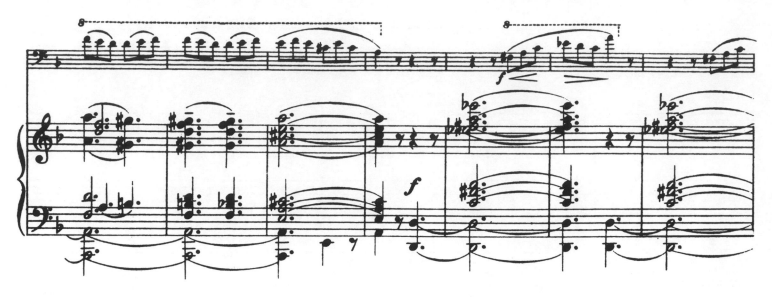

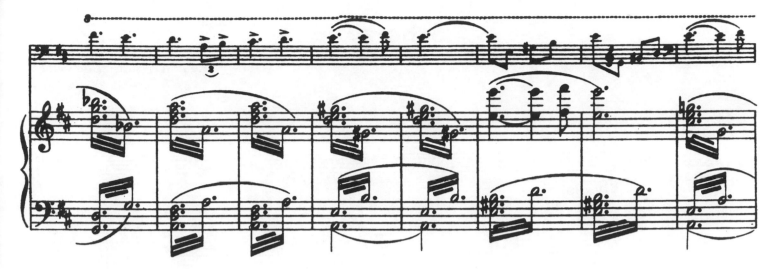

Scherzo

Reinhold Moritzevič Glière
op. 32/2

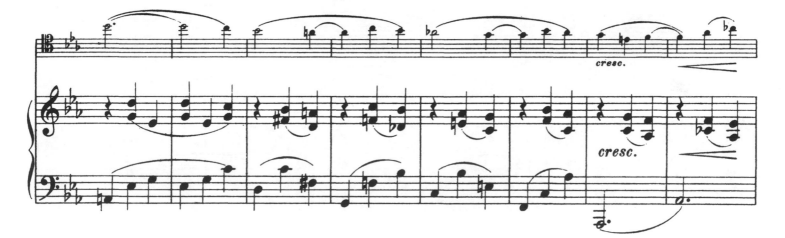

Tempo I.

Tempo I.

con passione

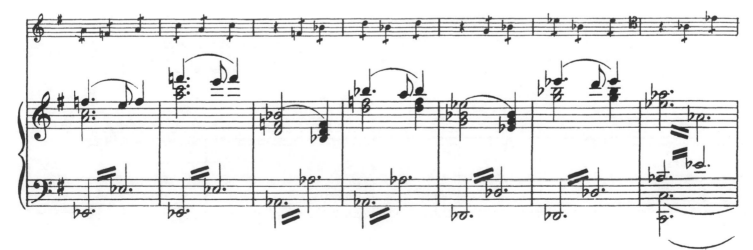

Two Pieces · Zwei Stücke
Andante

Sergei Aleksandrovich Koussevitzky (1874-1951)
op. 1/1

À Mademoiselle Nathalie Ouchkoff

Valse miniature

Sergei Aleksandrovich Koussevitzky
op. 1/2

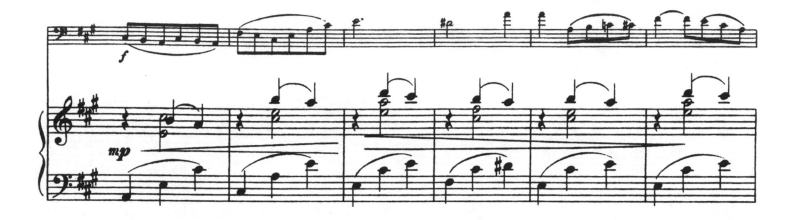

Chanson triste

Sergei Aleksandrovich Koussevitzky
op. 2

Scherzino

Joseph Schillinger (1895-1943)
No. 2 from *Three Pieces* · Nr. 2 aus *Drei Stücke*
Edited by · bearbeitet von Yuri Golubev

Poème nocturne

Joseph Schillinger

No. 3 from *Three Pieces* · Nr. 3 aus *Drei Stücke*

Edited by · bearbeitet von Yuri Golubev

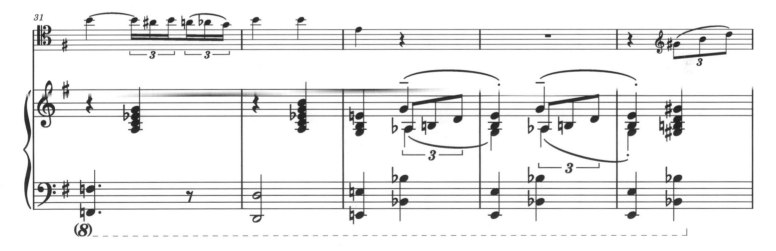

Andante cantabile

Pyotr Ilyich Tchaikovsky (1840-1893)
op. 11
Transcription by · Transkription von Yuri Golubev

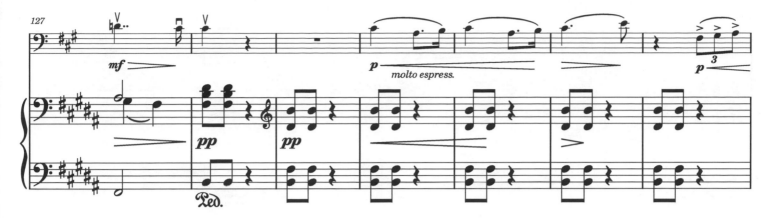

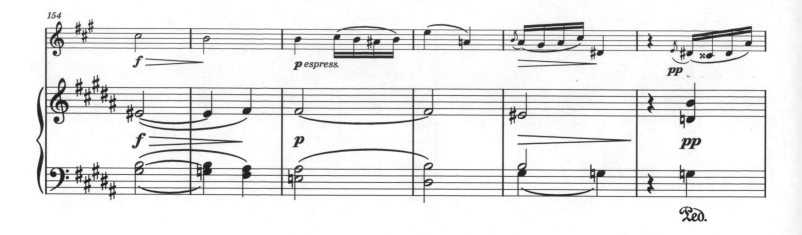